KU-558-152

Uitgegeven door de Stichting
Collectieve Propaganda van het
Nederlandse Boek ter gelegenheid
van de Kinderboekenweek 2008.

Dankzij je boekverkoper kost dit
mooie boekje niet zoveel.

© Illustraties Charlotte Dematons, 2008
All rigths reserved
Productie: Uitgeverij Lemniscaat, Rotterdam
Gedrukt op 100% chloorvrij papier
NUR 273
ISBN 978 90 5965079 4

# Charlotte Dematons

# Fiets

Stichting Collectieve Propaganda van het Nederlandse Boek